COME TO
WHERE THE
BITCH BOYS
ARE ☆

1

OGERETSU TANAKA

D1213275

INHALT

SIE LIEGT TIEF IN DEN BERGEN UND ANGEBLICH GIBT ES VIELE SCHNÖSEL HIER.

DIE PRIVATSCHULE MORIMORI IST EINE JUNGENSCHULE MIT INTERNAT.

*Stadtteil von Tokio, der für sein Nachtleben bekannt ist.

Wo ist bloss mein...

Geht jetzt nicht!

Börgst du mir deine Jump?

Ist in meinem Spind!

Berge

Jungs

... UND IN DIESE RINGSUM VON BERGEN UMGEBENE SCHULE WECHSELN.

WEIL MEIN VATER VERSETZT WURDE, MUSSTE ICH MEINE SCHULE IN TOKIO VERLASSEN...

108

Shibuya*

Gemischte Schule

Freund

SIEH AN...

WIRKT WIE EINE GANZ NORMALE JUNGENSCHULE... UND GAR NICHT SO SCHNÖSELIG

...

NAJA... EIGENTLICH KEINEM ...

WEISST DU SCHON, WELCHEM KLUB DU BEITRETEN WIRST?

ICH WILL SEINE HAND GAR NICHT LOSLASSEN!

YA-CHAN...! EIN NETTER KERL...!

Ist doch bloß mühsam

DRÜCK

OJE... WAS NUN...?

ZZZIWUIT

AN DIESER SCHULE MUSS MAN IM ERSTEN JAHR KLUB-MITGLIED SEIN!

HM...? DAS KANNST DU NICHT MACHEN!

HM... KLUB-AKTIVITÄTEN...

VERSTEHE... ALSO EHER WAS IN RICHTUNG KULTUR...

WAS GAB ES DA DOCH GLEICH ...?

HEY! ICH BIN IM FUSSBALL-KLUB! WIE WÄR'S DAMIT?

Es macht Spaß

Vor allem in Ballsportarten...

EHER NICHT, BIN EINE TOTALE NIETE IM SPORT...

DIIING

DOOONG

DAAANG

DANN WÄHLE
ICH AM BESTEN
ETWAS, DAS NACH
SPASS KLINGT...

...IST...

FOTOGRAFIE-
KLUB

...

Dooong

FOTOGRAFIE KLANG
NOCH AM INTERES-
SANTESTEN, ABER
ALS ICH MEINE
KLUBANMELDUNG
BEIM ZUSTÄNDIGEN
LEHRER ABGEBEN
WOLLTE...

IM KULTURELLEN
BEREICH BIETET
DIESE SCHULE
BLOSS KLUBS FÜR
BLÄSMUSIK, UNTER-
HALTUNGSMUSIK,
FOTOGRAFIE UND
SCHAUSPIEL.

11

... STELLE ICH EUCH GLEICH MAL DIE ANDE-REN MIT-GLIEDER VOR!

OKAY! ALSO DANN...

Ja...!

JA, ER IST EIN NET-TER KERL... UND SEHR OFFEN...

Glaaa

ICH BIN KEIICHI AKE-MI, DER BOSS HIER...

WENN IHR FRAGEN HABT, KÖNNT IHR EUCH IMMER AN MICH WENDEN.

KEIICHI AKEMI
3. KLASSE, KLUB-BOSS, TACHI*

HA...

FREUT MICH, DICH KENNEN-ZULERNEN!

* Dominanter/aktiver Part in einer homosexuellen Beziehung.

ALLES SCHMUTZIGE TUT MIR WEH. SELBST DIE SOFTEN SACHEN GEHEN GAR NICHT!

UND DAS HIER IST SHIKATANI!

WEGEN SEINES REINLICHKEITS-FIMMELS IST ER OFT SCHWIERIG, ABER WAS SEX ANGEHT, IST ER SEHR RELAXT!

SHIKATANI
3. KLASSE, NEKO*

SIE SIND DAS ALLERWICH-TIGSTE!

SEX...?! SIND SOLCHE INFOR-MATIO-NEN ECHT NÖTIG?!

BUCKS

Nicht so nah! Willst du mich vergewal-tigen?!

Sehr erfreut!

Passiver/submissiver Part in einer homosexuellen Beziehung.

18

UND ZUM SCHLUSS UNSER VIZEBOSS!

DRÖ

DRÖ

YURI!

BEI IHM SIND FAST ALLE SCHRAUBEN LOCKER. OFT KRIEGT ER KEIN VERNÜNFTIGES WORT RAUS, DOCH SEINE BLOWJOBS SIND GENIAL!

YURI
2. KLASSE, BISEXUELL

HA! YURI – WIE DIE LILIE*! WAS FÜR EIN SÜSSER NAME!

ICH MAG BLUMEN SEHR GERN!

ER REDET TATSÄCH-LICH NICHT GANZ NORMAL...

EIN SELT-SAMER KERL...

FLOINK

ス

Boink

HÖÖÖH! DU MACHST MICH GERADE VOLL SAUER, AKEMI!

UND ER HAT OHREN WIE EIN LUCHS!

„Yuri" ist das japanische Wort für „Lilie".

?!!

Ha...

HÄH...? SCHWER VON BEGRIFF, WAS? DIESER KLUB HEISST NICHT UMSONST BITCH-BOYS-KLUB!

SOLANGE IHR SEX HABT, IST ALLES IN ORDNUNG! IST DAS KLAR, IHR ZWEI JUNG-FRAUEN?

IN EINER JUNGENSCHULE MITTEN IN DEN BERGEN STAUT SICH EINIGES AN UNBEFRIE-DIGTER LUST AUF! WIR BIETEN DA EIN VENTIL!

NEIN, NEIN, NEIN! MOMENT MAL! MIR IST GAR NICHTS KLAR!

VER-VERSTEHE...

Bibber

NAJA, WIR NEHMEN KEIN GELD. WIR STEHEN EINFACH AUF SEX UND SIND WILLIG, WENN JEMAND INTERESSE ZEIGT. FÜNF JUNGS PRO MONAT SIND DAS MINIMUM!

QUASI EINE ART SEXBUSI-NESS?

DIE LEISTUNGEN WERDEN ÜBER-PRÜFT. DARUM RENGT EUCH AN! R ERWARTEN LO-ERE LENDEN UND LOTTE ZUNGEN!

Bibber

ICH HAB ANGST...

TJA, DAS WIRST DU HIER WOHL ODER ÜBEL LERNEN...

TIPPS

Umph...

BUÄH...

ICH... KANN DAS NICHT MIT JUNGS...

DANN BIST DU EBEN TACHI!

TACHIS SIND SELTENER ALS NEKOS UND DARUM AUCH GEFRAGTER! ♡

OKAY, ICH BIN TACHI!

PRIMA...

JAWOHL! ICH WERDE MIR MÜHE GEBEN!

Ich bin dabei!

ABER MIR GRAUT DAVOR, VON EINEM MANN GENOMMEN ZU WERDEN!

BAAAMM!

ÜBRIGENS... WENN IHR NACH EINEM MONAT IMMER NOCH MIT NIEMANDEM SEX HATTET...

... BLÜHT EUCH EIN GANGBANG!

GA-GANG-BANG...! DAS IST DOCH... KRIMINELL...!

UND ÜBERHAUPT! WAS IST MIT DEN LEHRERN UND DEN SCHUL-REGELN?! HABT IHR DA NICHT ANDAUERND PROBLEME?

DAS HIER IST EIN INTERNAT MITTEN IN DEN BERGEN, EINE ART GESETZLOSE ZONE! UND DIE LEHRER SIND SELBST STAMMGÄSTE IM KLUB. ALSO KEINE SORGE!

GESETZLOSE ZONE

LEH-RER ALS STAMM-GÄSTE

CHANCE AUF RET-TUNG: 0

GANGBANG

DAS KANN ICH VERGESSEN...

24

ICH WILL SOFORT DIE SCHULE WECHSELN!

ICH DACHTE ERST, ICH KÖNNTE ES VIELLEICHT SCHAFFEN, ABER KEINE CHANCE...

KEINE CHANCE, YA-CHAN...

WIR SIND MEIST HIER IM KLUBRAUM. WENN IHR ALSO DEN GEWISSEN DRANG VERSPÜRT, KOMMT EINFACH HER UND SUCHT EUCH JEMANDEN AUS!

ICH
FASSE ES
NICHT...

Come to where
the Bitch Boys are

KAPITEL 1: MITGLIED WERDEN

ENDE

YA-CHAN...!

HA...! WIE FURCHTBAR...! UND DAS IN DER MITTAGSPAUSE...

TAPPA

TAPPA

TONO!

SORRY!

STIMMT ES, DASS DU IN DEN FOTOKLUB EINGETRETEN BIST?

Ahaha!

ICH KONNTE ES DIR NICHT RICHTIG ERKLÄREN...

ÄH... JA... ICH WUSSTE NICHTS DARÜBER...

KEINE SORGE! ES HAT IHN NOCH KEINER ANGEFASST! ABER SEINE TACHI-AURA IST SEHR GEFRAGT!

FUHU...♪

YAGUCHI IST AUCH IM KLUB SEHR BELIEBT! ER IST SÜSS, WAS?

Fuhuhu!

HÄ...? YA-CHAN IST...

EIN TACHI HAT BEIM SEX DIE MÄNNER-ROLLE. ER STECKT IHN REIN.

NEKOS SIND DAS GEGENSTÜCK. SIE MÖGEN ES, PENETRIERT ZU WERDEN.

WAS...?! IMMER NOCH NICHT...?

FRUUU

ÄH, ICH VER-STEHE DIESE TACHI-DING EIGENTLICH NICHT!...

TAMU UND YURI SIND TACHI-NEKOS, AUCH SWITCHER GENANNT. SIE KÖNNEN BEIDES. AUSSER-DEM SIND SIE BI. ICH SELBST MAG ÜBRIGENS KEINE FRAUEN. ♥

TACHI

SWITCHER (BEIDES)

NEKO

ITOME, DER NEULING KASHIMA UND ICH, WIR SIND TACHIS. SHIKATANI IST EIN NEKO. UND EIN WENIG MASO IST ER AUCH...

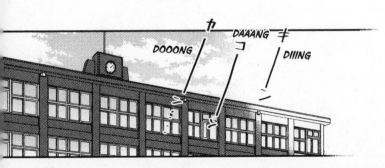

BOINKS

HEY, HEY!

WUAHZ!

OB ICH DAS KÜNFTIG DURCHHALTE...?

TAPPA
TAPPA

Hab einen Bärenhunger...

ENDLICH SCHULSCHLUSS...! ICH BIN MITTAGS NICHT MAL ZUM ESSEN GEKOMMEN...

HAAAH...

DU WARST IN DER MITTAGSPAUSE NACH DEM VORFALL NICHT MEHR ZU SEHEN...

DU BIST SICHER HUNGRIG, ODER?

SMIII

GLAAA

YA-CHAN...!

ICH DACHTE, DU SEIST VIELLEICHT HUNGRIG. DESHALB HAB ICH DIR EIN HIER SO BELIEBTES PUDDINGBRÖTCHEN BESORGT!

...

WENN DU NOCH ZEIT HAST, BEVOR DU ZUM KLUB MUSST...

HEY, SCHON GUT!

PUDDINGBRÖTCHEN SIND AN DER SCHULE DER GROSSE RENNER!

DANKE...!

WOLLEN WIR UNS DORT HINSETZEN...

ÄHM...

... UND ES GEMEINSAM ESSEN?

?

...?

WOLLEN WIR?

?

GERN!

ÄH... ÄHM...

WAAAAH...!♥

?

JA!

STIMMT! HÄTTEST MIR MAILEN KÖNNEN, DASS DU AN DIESE SCHULE WECHSELST! HAB ICH RICHTIG ERSCHRECKT!

TONO HAB ICH SEIT DER MITTAGSPAUSE NICHT GESEHEN, ABER DICH SEIT NEUJAHR NICHT!

UPP...

VERSTEHE...

ICH WOLLTE MIR HEUTE EINES KAUFEN, DOCH ES GAB KEINE MEHR! GIB MIR EINEN BISSEN AB!

AHAHA! SORRY! ICH WUSSTE NICHT, DASS DU AUCH HIER BIST. HEY, IST DAS ETWA EIN PUDDINGBRÖTCHEN?!

KYOSUKE...

BEKOMME ICH EINEN BISSEN?

OH, OKAY... ALSO...

HÄ?

WUPP

ES IST VON YACHAN.

42

DAS PUDDING-
BRÖTCHEN WAR
NICHT GANZ MEIN
GESCHMACK...

Come to where the Bitch Boys are

KAPITEL 2: MUND AUF UND...

ENDE

Come to where the Bitch Boys are
Ogeretsu Tanaka

Come to where the Bitch Boys are
Ogeretsu Tanaka

KAPITEL 3
OBEN, UNTEN,
LINKS, RECHTS
COME TO WHERE THE BITCH BOYS ARE

NGH...

... ICH VERGESSE AUCH NIEMALS EINEN GEFALLEN, DEN ICH EMPFANGEN HABE...

ZUCK

....!

MIR REICHT'S LANGSAM.

KRICK

KRACK

KRICK

KRACK

KRICK

DIE GANZE ZEIT WURDE ICH NUR BELÄSTIGT ODER ANGEMACHT.

ICH BIN NUN SEIT KNAPP EINER WOCHE IM BITCH-KLUB.

KRICK

KRACK

POTECHI

HAAAAH ...

UMPH!

NAS...?

PATSCH

SPUCK HIER NICHT ÜBERALL RUM!

HEY!

GRM

BUAAAAH!?

TU ICH NICHT...

NEIN...

UND? SUCHST DU EINEN PARTNER FÜRS ERS-TE MAL?

TAUCHT DER PLÖTZLICH VON HINTEN AUF...!

ICH WÜRDE NICHT NEIN SAGEN... ABER DU WIRKST NICHT SO, ALS WÜRDEST DU TÄGLICH BRAV DEIN BAD NEH-MEN...

HM...

WIESO TAUCHEN DIESE KERLE VOM BITCH-KLUB IMMER LAUTLOS VON HINTEN AUF...?

HA...

DAHER KANNST DU DIR SO EINIGES ERLAUBEN ...

SEINE PARANOIA SETZT JE-DOCH IMMER VERSPÄTET EIN...

ABER AN UND FÜR SICH GANZ UNTER-HALTSAM...

Dingdong Dangdoooong

BEI IHM KANNST DU ALLES MACHEN. DER WEISS GAR NICHT, WAS EKEL IST...

HÄ? YURI WÜR-DE SICH DARÜBER FREUEN!

TAMURA IST ECHT EIN FIESER TYP...

Ahe...

WAH!

HEY, LASS DAS! DAS IST AUCH OHNE REINLICH-KEITS-FIMMEL EKLIG!

ZUM TOTLACHEN, WAS?

ICH HAB IHN MAL GEFESSELT UND MIR DANN IN DER NASE GEBOHRT, BIS ER KOTZTE UND BEWUSSTLOS WURDE.

POKS

ほじほじ

べちゃ

PLACK

POKS

SHIKATANI AUS DER KLAS-SE 3-C, BITTE DRINGEND INS CHEMIELABOR KOMMEN. ICH WIEDERHOLE ...

BZZZ

すっ
WUPP

MATSUMURA-SENSEI VERLANGT NACH DIR, SHIKATANI ...

...

WOW! DU HAST ES GUT!

ICH WEISS ...

TJA...

CHEMIELABOR? WIESO ...?

?

DER TYP... SCHWITZT IMMER. ECHT WIDERLICH ...!

...!

MATSUMURA ...

... KANN SHIKATANI NICHT LEIDEN...

WAS ZUM TEUFEL GEHT HIER AB...?

WAS KOMMT JETZT...?

HALT DIE APPE, UNG-RAU!

?!

HA, DA KOMMEN SCHÖNE ERINNE-RUNGEN AUF...

ICH WERDE DIR MAL VON MEINER WUN-DERBAREN ERS-TEN BEGEGNUNG MIT YAGUCHI ERZÄHLEN...

WIE MEINST DU DAS?! SAG BLOSS, DU...

ZABB

ZAPP

WIE...? EIN FLASH-BACK?!

ES WAR BEI DER EINTRITTSFEIER DER ERSTKLÄSSLER, ALS ICH IN DIE ZWEITE KAM...

AH... IST...! DAS ERVT...

MIR TUT ALLES WEH...! ICH BLEIBE BESSER ERST MAL HIER SITZEN...

タラ

FLUUU

AUA ...

WAR ES EIN EIFERSUCHTSSTREIT MIT KERLEN AUS DER DRITTEN...? ICH WEISS ES NICHT MEHR GENAU. JEDENFALLS GAB ES ZOFF UND SIE MACH-TEN MICH FERTIG...

... EIN ENGEL ...

ICH DRÜCKE DAS HIER DRAUF, BIS DAS NASENBLUTEN AUFHÖRT...

ZUPP

FUH

YA-CHAN
IST ALSO
DOCH EIN
ENGEL!

EBEN!
SAGE
ICH
DOCH,
JUNG-
FRAU!

WUPP

EIN
ENGEL
!!

WOW...!

66

DU BIST TONOS UND YUS SENPAI*?

HÄ?

TAPP

ん ?...

...

*Älterer Kollege.

BIST DU EIN MÄDCHEN, ODER WAS?! DAS IST NICHT SÜSS...

... SONDERN KRANK!

WAS SOLL DAS HIER?!

GRAPP

ZOCK

... AUF UND AB HÜPFT...

FINDEST DU NICHT ...?

ES IST DOCH ...

... GANZ SÜSS, WIE ES SO...

DANKE!

GUT. DAS GEWÄCHS-HAUS IST DA DRÜBEN!

⟨'' ?
... GNNN

DIESE SEITE IST BEIM AUFSTE-HEN...

... IMMER ZERZAUST. DARUM BINDE ICH DA EIN SCHWÄNZ-CHEN.

WUNDERSCHÖN
...

Come to where
the Bitch Boys are

OBEN, UNTEN, LINKS, RECHTS

ENDE

KAPITEL 4
UNGENÜGEND ♥
COME TO WHERE THE BITCH BOYS ARE

HÄ?

R WERDEN?
RANGLISTEN
SGEHÄNGT?

DIE RANGLISTE KOMMT ANS SCHWARZE BRETT. WIR KÖNNEN DANN NACHSEHEN!

JA. UM DEN EIFER ZU STEIGERN, HEISST ES. ABER NUR BIS PLATZ DREISSIG!

YA-CHAN WILL MIT MIR ZUSAMMEN LERNEN... VIELLEICHT ENTPUPPT SICH MEIN ERGEBNIS DOCH ALS GLÜCKSFALL!

(SEHR BERECHNEND.)

WÜ-WÜRDEST DU...?

ZU ZWEIT KÖNNTEN WIR ES WOHL HINKRIEGEN...

Lass uns gemeinsam büffeln!

GNNN

ACH, WAS DU DIR DA ANSIEHST, ST DIE LISTE ER ZWEITEN KLASSEN...

AH, WAHNSINN! DER ERSTPLATZIERTE HAT FAST DIE VOLLE PUNKTZAHL....!

ICH KANN NICHTS SEHEN!

WAH...! IRRE, DIESER ANDRANG ...!

ACH ...

ZAWA

ZAWA

TAPP

TAPP

JA, DER TYP IST UNGLAUBLICH... ER WAR VON BEGINN AN AUF PLATZ EINS, AUCH BESTER BEIM AUFNAHMETEST. IHN KENNT MAN HIER...

ER IST EIN GENIE ...

ZAWA

ZAWA

TJA, DANN STEHE ICH GARANTIERT NICHT AUF DER LISTE... HAHA...

1 YURI AYATO (2-

DAS HATTE ICH SELBST NICHT ERWARTET...

WAAAAS?!

ACH, ICH BIN AUF PLATZ FÜNF IN MEINEM JAHRGANG!

WAH! TOTAL SCHWACH!

ZWING UNS NICHT, DICH ZUM PLAUDERN ZU BRINGEN!

ICH... WILL LIEBER NICHT DARÜBER SPRECHEN...

KA-SHIMA...!

IM ERNST?! DABEI WOLLTE ICH NICHT, DASS ER BESSER IST!

UNGENÜGEND IN ALLEN FÄCHERN ...

LEHRER? WOVON REDEST DU?

WAHNSINN! IN DEM FALL WIRD KASHIMA DIE LEHRERROLLE ÜBERNEHMEN!

GUT, LEUTE! ALLE HIERHER...!

CLAP

CLAP

Oh... Oh...

Okay! Alles klar...!

WIE IMMER VOR DEN TESTS... BEGINNEN WIEDER MAL DIE VERPFLICHTENDEN LERNTREFFEN DES BITCH-KLUBS! ♥♥

86

STIMMT! ♥♥

Ähe...♡

SO KÖNNEN WIR BIS ZUR SCHLAFENS-ZEIT LERNEN!

SM!!!

HA, ICH SCHLAFE ZUSAMMEN MIT... YA-CHAN...

...MEINEM IDOL...

GENUG PLATZ FÜR BEIDE, WAS? GUTE NACHT!

※ (einem Mann)

GIEK.

JA...

ICH MACHE DAS LICHT AUS, JA?

KLACK

GUT.

PUH, BIN ECHT ERSCHÖPFT... WOLLEN WIR DANN MAL INS BETT...?

Fuh...

YA-CHANS GEGENWART HAT SO ETWAS BERU-HIGENDES...

AH, WIE SÜSS...!

OB MAN SICH SO MIT EINER KLEINEN SCHWESTER FÜHLT...? (OBWOHL ER EIN JUNGE IST.)

FOTOGRAFIE-KLUB

TAMURA, DEIN ER-GEBNIS IST FALSCH...!

GUT, GUT...!

(Wunschvorstellung)

GUT GE- MACHT! ♥

MIT YA-CHAN ABENDS ZU LERNEN HAT ZWAR NICHT FUNKTIO- NIERT, ABER...

... WIR LERNTEN NACH DER SCHULE IN DER BIBLIOTHEK ODER IM KLAS- SENZIMMER.

SEXTOYS ALLER ART

DIE LERNTREFFEN GINGEN SEHR WOHL WEITER... NUN SIND ES NUR NOCH DREI TAGE BIS ZU DEN TESTS...

DIE REA- LITÄT ...

.....

TONO, IST NOCH WAS UN- KLAR?

AH, SORRY...

DIE LERNSES- SIONS ZU ZWEIT MIT YA-CHAN WAREN WIE EIN TRAUM...

ACH, DAS...

DAS HABEN WIR BEREITS EINMAL GELÖST. ERINNERST DU DICH?

ÄH... JA, DAS HIER VER- STEHE ICH NICHT...

KASHIMA SCHEINT SEHR BELIEBT ZU SEIN...

HEY, HEY, HEY! TONO, DU TRÄUMST WIEDER! IN DREI TAGEN SIND DIE TESTS!

97

NAJA,
IST AUCH IN
ORDNUNG...

ZAWA... ZAWA...

MEHR
ISST DU
NICHT?

DAMPF

DAMPF

KLATTER

NEIN,
DANKE...

QUATSCH,
DAS IST DOCH
EINE NORMALE
PORTION! DU
BIST SO DÜNN.
WILLST DU NICHT
WAS VON MEINEM
KATSUDON#?

NEIN...
ABER SAG
MAL, IST
DIR DAS
NICHT ZU
VIEL?

DU ISST
ALSO
SONST
IMMER
ALLEIN!?

Katsudon +
Curry mit
Salat

BOOO

Schweineschnitzel auf Reis.

YA-CHAN IST WEGEN SEINES KLUBS MEIST SPÄT DRAN. UND AUF IHN ZU WARTEN WÄRE BLÖD.

IM GEGENSATZ ZU DIR...

TJA, ICH HABE EBEN KEINE FREUNDE...

IM ERNST? WAS IST MIT KYOSUKE?

ICH BIN ES OHNEHIN NICHT GEWOHNT, MIT JEMANDEM ZU ESSEN...

ECHT? ICH HABE VIELE GESCHWISTER. DARUM IST ES FÜR MICH EHER SELTSAM, ALLEIN ZU ESSEN...

WIE VIELE GESCHWISTER SEID IHR DENN?

GAAA

MIT MIR SIND WIR SIEBEN.

MORIMO

SIEBEN KINDER!?

ÜBERREAKTION

100

HÄ...? TONO...

HAST DU DENN KEINEN HUNGER?

DIE ZIMMER HIER SIND GERÄUMIG, DA WAR MIR DER SCHULWECHSEL SEHR WILLKOMMEN!

STIMMT. BEI UNS HATTE KEINER EIN EIGENES ZIMMER. DARUM WOLLTE ICH AUCH INS INTERNAT.

DANN SEID IHR EINE RICHTIGE GROSSFAMILIE...

VERSTÄNDLICH...

GROSSER BRUDER ① GROSSER BRUDER ② KLEINE SCHWESTER

GROSSE SCHWESTER ① KLEINER BRUDER KLEINE SCHWESTER ②

MIR KOMMEN SIE EHER KLEIN VOR!

WAS...? ACH, DOCH! ABER DIE PORTIONEN HIER SIND MIR ZU GROSS...

DU MAGST PUDDING DOCH GERN, ODER?

WILLST DU MEINEN PUDDING GEGEN DEINE RESTE TAUSCHEN?

JA, SCHON...

ABER WOHER WEISST DU DAS?

WENN ICH DIR WAS ERKLÄRE, IST DAS AUCH FÜR MICH EINE WIEDERHOLUNG, DURCH DIE ICH LERNE.

HÄ?

MORGEN WIEDER?

AUSSERDEM BIN ICH GERN MIT DIR ZUSAMMEN!

SMIII

WAS IST DAS NUR...?

AB UND ZU KANN KASHIMA ECHT SELTSAM SEIN...

OKAY...

PRIMA!

HAST DU GESTERN MIT YU IN DER KANTINE GELERNT?

MORGEN!

YA-CHAN! MORGEN!

PAT

TONO...

VERSTEHE...

GESTERN? JA, ER HAT MIR EIN PAAR DINGE ERKLÄRT.

ACH...

ES GEFÄLLT IHM WOHL NICHT, DASS ICH MIT KASHIMA ZU ZWEIT GELERNT HABE...

NA KLAR...! YA-CHAN STEHT DOCH AUF KASHIMA...!

WAS HAT ER?

TJA, DANN...

ACH, NEIN?

ACH, ABER DAS WAR NUR ZUFALL. WIR SIND AUCH MIT DEM STOFF BEI WEITEM NICHT DURCHGE-KOMMEN...

HAST DU HEUTE ABEND ZEIT?

MIST...! EIN VERHÄNGNISVOLLES MISSVERSTÄNDNIS...!

GNNN

JA...

GUT. DANN LASS UNS NACH DEM ABENDESSEN WIEDER BEI MIR LERNEN!

JA, HAB ICH...

ABER BIS
ZU DEN TESTS
LERNEN WIR
OHNEHIN IM
KLUBRAUM...

ES WÜRDE
MICH FREUEN...
WENN DU MIR
DA... HELFEN
KÖNNTEST...

...

わしゃっ
WUSSA

WAH!

HAHAHA!

GEHT
KLAR!

DANN
ALSO BEIM
LERNTREFF
IM KLUB-
RAUM!

WARUM
DENN SO
FÖRMLICH?

NAJA, IRGENDWIE HABEN SIE ETWAS GEMEINSAM...

WAS IST ES BLOSS? ICH WEISS NICHT RECHT...

MITTAGSPAUSE ♪

ワイ WAH!
Ahaha!
...
WAH!
ワイ
zzzhhhh
haha!

ブ ワ-WAH!
ザワ ZAWA
ACH, VERSTEHE.
ICH KANN LEIDER NICHT MIT. HAB KLUBBESPRE-CHUNG.
SORRY!
ブ ZAWA ブ
WAH!

HÄ? AH, JA!

TONO! MIT-TAGES-SEN...!

112

NOM
も

JA, HATTEN WIR...

HATTEN WIR DIESES PROBLEM NICHT ERST NEULICH...?

ABER SAG MAL, TAMURA... WIESO HAST DU EINEN BEUTEL MIT TOASTBROT BEI DIR?

HÄ...?

NOM ムシャ

NOM

WARUM WOHL? DAS IST MEIN LUNCH UND ES IST LECKER!

NOM も

ES IST WAHR! BLOSS WEIL DAS EINE JUNGENSCHULE IST, HEISST DAS NICHT...

HA...! WER'S GLAUBT...

GRUM

GRUM

ALSO ECHT, MANN...!

WIE ICH HÖRE, HAST DU DICH ABENDS MIT YAGUCHI IN SEINEM ZIMMER GETROFFEN...

SAG DAS NICHT MIT DIESEM UNTERTON! WIR HABEN BLOSS GELERNT!

EINFACH NUR TOASTBROT? OHNE WAS DRAUF?

...

NOM

NOM

HÄ? WAS DENN?

ACH...! DU HAST ES DOCH NICHT VERGESSEN, ODER?

116

DOCH,
ES STIMMT!
MORGEN IST
DER MONAT
VORBEI!

DIESER
TAMURA... IST
EIN RICHTIGER
TEUFEL!

ICH HATTE BEREITS
DEN GEDANKEN, DASS
ES MIT YA-CHAN VIEL-
LEICHT GINGE, ABER...

DOCH WENN
ICH ES NICHT
TUE, WERDEN SIE
MICH MORGEN
ZWINGEN...! DAS
HIER IST EINE GE-
SETZLOSE ZONE
UND DARUM...! ICH
WILL NIIIICHT...!...!!

...

WAS SOLL
ICH NUR
TUN...? ICH
KANN DOCH
NICHT MIT
EINEM MANN
SEX HABEN!

VIELLEICHT
SOLLTE ICH
ES DOCH MIT
KASHIMA...

WUIT

WUIT

WUIT

... ZUNÄCHST
MAL IST ER EIN
GANZ NORMALER
FREUND... UND
AUSSERDEM
MAG ER DOCH
KASHIMA...

Come to where
the Bitch Boys are

UNGENÜGEND

ENDE

KAPITEL 5
REIN DAMIT!
COME TO WHERE THE BITCH BOYS ARE

Come to where the Bitch Boys are
Ogeretsu Tanaka

DER MONAT
IST VORBEI...!

SLUP ち ん 3

SLUP ち ん 3

... IST YURI MIT ACHTZEHN PERSONEN!

GRATU-LIERE! TYPISCH DU!

15 MINUTEN ZUVOR...

DIESEN MONAT AUF PLATZ EINS...

Ha...

DARAUF KÖNNTE ICH VER-ZICHTEN...

ÜBRIGENS... WER BEIM MONATLICHEN RANKING AUF PLATZ EINS LANDET, DARF AM NÄCHSTEN TAG DAS SPIEL SEINER WAHL SPIELEN! ♡

GIEK

Giek ギシ

UND WIEDER NACKT!

E KANNST U DAS RAGEN, SHIMA?!

ÄHM... WAS IST „WAU-WAU"?

SCHON WIEDER WAU-WAU? ICH KOMME KAUM NOCH ZUM ZUG!

WAU-WAU!

WAS FÜR IDIO-TISCHE SPIELCHEN WERDEN DAS WOHL DIESMAL SEIN?

ば WUPP

126

HÄ?

MIT BEZIEHUNG ODER NICHT HAT DAS HIER NICHTS ZU TUN!

HEY, HEY! MOMENT MAL!

WAS...? SO DENKST DU ALSO ÜBER ITO-ME UND MICH!?

PAARE IM KLUB NERVEN IRGENDWIE.

?!!

?!

WAS DENN...? SO WEIT IST ES MIT EUCH GEKOMMEN!? WIE SCHADE...!

GAAA

HÄ?

KLAR, ALS ER IN DER ERSTEN WAR, HAT ER ES IN DEM PROBE-MONAT AUCH NICHT GE-SCHAFFT, SEX ZU HABEN...

FÜR TAMURA GILT DAS OFFENBAR NICHT...

WIR HABEN UNS DOCH GEKÜSST!

UND WAS IST MIT SEX?

ZAPP

ES ÄNDERT NICHTS AN DER TATSACHE, DASS BEI IHNEN NICHT GELAUFEN IST! DAS HEISST ALSO GANGBANG! SO LAUTET DER DEAL!

UAH... DAS KLINGT ÜBEL...

BIST DU SICHER...?

Da werden Erinnerungen wach...! ♥

... UND MUSSTE DANN DEN GANGBANG DURCHMACHEN...

SCHRUMPF

CHNAUZE, 'RILLEN-CHLANGE!

KLAPPE! ES IST EINE GUTE ERINNERUNG. ALLES BESTENS!

AUSSER DIR HAT KEINER EIN PROBLEM!

TJA, DANN WERDEN TONO UND ICH JETZT MAL GEHEN...

SIND WIR NUN GERETTET ODER NICHT?!

HÄ...? FALLEN GESTELLT ...?

SLUP

SLUP

IHR MACHT ES DIESEN JUNGFRAUEN ZU LEICHT!

MIR HABT IHR VOLL DIE FALLEN GESTELLT!

ÄH...

BIS DANN...

SEIT WANN SIND DIE EIN PAAR?

KEINE AHNUNG.

DANN BIS MORGEN, JUNGS!

SORRY, TONO...

KASHI-MA...

ACH, MACH DIR DARÜBER MAL KEINE SORGEN!

HAB DIE JUNGS VOLL ANGELO-GEN...

ACH, NICHT DOCH...! BESSER, ALS VERGEWALTIGT ZU WERDEN...

Ahahaha!

ABER SORRY, DASS ICH DICH EIN-FACH SO GEKÜSST HABE...

BEI DEM KNALL, DEN DIE TYPEN HABEN...

HÄ...?

ICH DACHTE MIR GLEICH, DASS IHR NICHT ZUSAMMEN SEID! DIE LÜGE WAR LEICHT ZU DURCHSCHAUEN!

YO!

AH! AKE... AKEMI...

WOPP

GIEK

ICH BIN SELBST EIN LÜGNER. DARUM LIESS ICH EUCH DAS ERST MAL DURCHGEHEN... ♡

NAJA, MIR SOLL'S RECHT SEIN...

OH NEIN...! DAS WAR'S DANN WOHL... DIESMAL ENDGÜLTIG...

DOMPS

AKEMI-SENPAI...??

ABER...

BOSS!

ICH WAR OHNEHIN NICHT SONDERLICH SCHARF AUF DEN GANGBANG MIT EUCH.

IHR SEID BEIDE AUCH EIGENTLICH NICHT MEIN TYP.

HÄ?!

FUHUHU...

WINKE

WINKE

GUT. VERGESST DAS BLOSS NICHT!

SICHER NICHT!

ACH, ÜBRIGENS... WAS WOLLTEST DU DA VORHIN SAGEN?

GE-GE-NAU! ICH AUCH!

ICH HATTE IHN IMMER FÜR EINEN PERVERSEN BRUTALO GEHALTEN, DER ANDERE GERN EINSCHÜCHTERT!

FUH

FUH

HEY, TONO...

NICHTS?

DANN GEHE ICH MAL RÜBER INS INTERNAT. BIS MORGEN!

ACH, NICHTS...

AKEMI IST DOCH KEIN SO ÜBLER KERL, WAS?

143

146

WAS... WAS
HAT ER DA
NUR ALLES
GESAGT...?!

HA...

WAS WAR
DAS EBEN...?

...

WIE STEHE
ICH SELBST
EIGENTLICH
DAZU...?

DER KUSS HAT
IHN GLÜCKLICH
GEMACHT? OB-
WOHL ICH EIN
MANN BIN...?

WAS BEDEUTET
DAS? HAT ES
IHN GLÜCKLICH
GEMACHT, MICH
ZU KÜSSEN? ODER
WOLLTE ER BLOSS
KÜSSEN, WEIL
ER EINFACH GERN
KÜSST?

WAS...? MIST!
ICH VERHEDDERE
MICH DA GERADE
VÖLLIG...!

OH NEIN!
ICH BIN GANZ
VERWIRRT!

NEIN, BLEIBEN
WIR MAL BEI
KASHIMA...

WIRD ER
MICH DANN
HASSEN...?

WAS, WENN
YA-CHAN ER-
FÄHRT, DASS
ICH KASHIMA
GEKÜSST
HABE...?!

ICH VERSTEHE DAS ALLES NICHT... (ES IST NICHT GANG UND GÄBE.)

OB SO WAS VIELLEICHT IN JUNGENSCHU- LEN GANG UND GÄBE IST?

VERGISS ES EINFACH! JAWOHL! VERGISS ES!!

HWUPP

ECHT ÖDE ...!

GRUM TS

TSS ...

GRUM TS

GRUM

!

BEI M HABEN DAMA ANDE REAGIE

152

Come to where
the Bitch Boys are

REIN DAMIT!

ENDE

KAPITEL 6
NIE OHNE
SONNENBRILLE
COME TO WHERE THE BITCH BOYS ARE

WIE SOLL ICH IHM DA GEGENÜBER-TRETEN...?

DIE UMSTÄN...
HABEN M...
ZWAR D...
GEZWUN...
ABER TR...
DEM...

ICH HABE DEN JUNGEN GEKÜSST, IN DEN ER VERLIEBT IST...

ACH, BES-SER...

... ICH HABE ES EINFACH ALS UNFALL AB...

Dabba

Dabba

JA...

WAH! DA IST ER!

TONO! AUF DEM WEG ZUM KLUBRAUM?

AH!

IRKS

OKAAAY...

202

YURI

ICH...

HÄÄÄH...? WIE BIT- TE? WAS SOLL AN IHM COOL SEIN?

WIE HAST DU DICH IN IHN VERLIEBT? EINFACH IRRE!

YU... YURI IST EBEN... EIN COOLER TYP...

HÄ?!

CHZZZ... CHZZZ... CHZZZ...

WAS SOLL DAS VERLIEBTE GESÄU- SEL...?

WUPP

ICH HATTE VERLERNT, MICH AM LEBEN ZU ERFREUEN...

WIE MAN SIEHT, BIN ICH EIN UNATTRAKTI- VER, DÜSTERER, KOMISCHER TYP...

ICH HATTE NICHTS INTERESSAN- TES ZU SAGEN UND DARUM AUCH KEINE FREUNDE...

EIN TAG WAR WIE DER ANDERE ...

WIRD DAS BUNGEE-JUMPING?

SEITDEM...

SNIFF HAAAH!

F.F... AAH!

Fuck me

SNIFF HAAAH!

... BEI IHM BEDANKEN...

ICH WOLLTE MICH UNBEDINGT...

Los, gehen wir was essen!

ER HEISST ALSO... YURI... EIN SÜSSER NAME...

... GING MIR DER JUNGE MIT DER SONNENBRILLE NICHT MEHR AUS DEM KOPF...

NAME: YURI
2. KLASSE
GRÖSSE: CA. 1,79 M?
GEWICHT: CA. 65 K
RAMEN-VORLIEBE

ZO ZO ZO

YURI!

MEGAPANIK

ÄHM... YA... YA-CHAN...

あわわわ

AWAWAWA

DU BIST IN KASHIMA VERLIEBT, RICHTIG?

WAS NUN? MIST! WAS NUN?! ICH... ICH MUSS IRGENDWAS SAGEN...!

SWIU

SWIU

SWIU

SORRY! ICH NEH-ME DAS ZURÜCK!

VERGISS ES! IM ERNST! TU, ALS HÄTTE ICH DAS NICHT GEFRAGT!

ES LAG MIR ZWAR AUF DEM HERZEN, ABER SO DI-REKT WOLLTE ICH IHN NICHT FRAGEN...!

UAAAH! WIE IST MIR DAS DENN RAUS-GERUTSCHT?!

HÄ

HÄ...?

ÄHM... HAST DU ETWA GEDACHT, ICH WÄRE SCHWUL?

NEIN? DANN SIEH MICH NICHT SO AN!

HÄ?

ES STIMMT NÄMLICH NICHT! WIESO HAST DU DAS GEGLAUBT...?

ETWA...

...!

HÄ?

... WEIL ICH ROT WERDE, WENN ICH MIT YU SPRECHE?

... WEIL DU SÜSS BIST...

ICH DENKE... EHER...

DU HAST HEUTE MIT YU HÄNDCHEN GEHALTEN.

WIE IST DAS EIGENTLICH BEI DIR?

EIGENARTIGE EIGENART...

EIGENART...

SETZ DICH! SETZ DICH!

SÜSS...?! ALSO, DIE RÖTE LIESSE ICH JA GELTEN...

IST SO EINE EIGENART VON MIR...

FLOMP

すとん

DAS WÄRE ERST RECHT ERSTAUN- LICH...!

TAPPA

TAPPA

TAPPA

TAPPA

YURI...! ♥

SAG MAL... DU HAST DOCH VORHIN MIT DEM WALKER GEREDET, ODER? WORUM GING ES DA?

NEIN, IM MOMENT EHER NICHT SO...

AKEMI! ♥ FIT FOR FUN?

HM-HM...

♪
♪

RÜ...

WUAH!

WIDER- LICH, DEIN GERÜLPSE!

RÜLPS!

ZUCK

ALLES KLAR...

Alles klar...

ZAWA

NEHMEN WIR IHN UNS VOR?

WOHER WUSSTE ER, WELCHE DAS WAREN? BEÄNGSTIGEND...

Die aus der Klubkasse bezahlt waren!

UND AUS DEM KLUB HAT ER WIEDER DIE VON YURI VERWENDETEN TOYS GEKLAUT.

A, UND ZWAR UF DER TELLE!

CHEMIERAUM

HA!

HA ...

HA ...

ABMARSCH!

SUCHTRUPP! AUF ZUR SPRITZTOUR!

HOOOO!

ES TUT MIR LEID!

ICH KANN NICHT AUF-HÖREN, DICH ZU LIEBEN!

ERST WOLLTE ICH DICH NUR ANSEHEN, DANN WOLLTE ICH DIE SACHEN, DIE DU VERWENDET HATTEST...

ICH WOLLTE SIE NUR IN DEN HÄNDEN HALTEN... DOCH DANN WOLLTE ICH AUCH MIT DIR SPRECHEN...

ICH... ICH...

223

COME TO WHERE THE BITCH BOYS ARE

NIE OHNE SONNENBRILLE

BIST DU EIGENTLICH EIN HALB-JAPANER?

?

AKEMI!

AUF MEINEM HANDY. ICH ZEIGE GERN FOTOS VON MIR ALS KIND!

JA! ABER WO HAST DU ES DENN...?

HIHI! ALS ICH KIND WAR, ERBLASSTEN NEBEN MIR SOGAR DIE SÜSSEN KLEINEN MÄDCHEN! WILLST DU EIN FOTO SEHEN? ♥

Fuhuhu!

JA... CLAUDE...

WOW! HAST DU AUCH EINEN ZWEITEN VORNA-MEN?

JA, BLONDE, BLAUÄUGIGE JÜNGLINGE SIND RAR, WAS?

Wahn-sinn!

COOL!

HEY, WERDE NICHT FRECH!

DAMALS SO SÜSS...

...UND HEUTE SO EIN LÜM-MEL...

STIMMT. TOTAL SÜSS!

SIEH MAL...! SÜSS, WAS?

ENGLISCH?

JA! KLEINE KOSTPROBE?

AH, SPRICHST DU AUCH FLIESSEND ENGLISCH?

HIHIHI!

Hihi!

TONO AMÜSIERT DAS OFFENBAR!

ES GEHT NICHT UM DAS STOFFTIER!

SÜSSES STOFFTIER!

Hab ich schon oft gesehen!

SIEH MAL! ICH ALS KLEINES KIND!

WURDE AUCH ZEIT, SHIKATANI...

HI...!

Du hast Klassendienst!

selbe Klasse

NORMALES JAPANISCH...

SHIKATANI!

ICH LIEBE DEINEN SCHNIEDEL!

JUCHHESEX!

WELCHEN SEX?

も も も MO MO MO も も も

ず も も MO も も MO MO

?!

LET'S GO SEX!

JAWOHL! SEXY...!

LET'S SEX PARTY!

LET'S SEX!

GLIN ドン...

HEY, ICH HABE IMMER VIER PUNKTE BEI DEN ENGLISCHTESTS!

HÖR AUF!

DU KANNST ES NICHT. DARUM LASS ES!

YEAH!

HEY...

SEX! YEAH! HO...!

ENDE

Come to where the Bitch Boys are
Ogeretsu Tanaka

HALLO UND GUTEN TAG! ICH BIN OGERETSU TANAKA!

VIELEN DANK, DASS IHR EUCH FÜR DIESEN MANGA ENTSCHIEDEN HABT!

DIESEN MANGA HABE ICH EIGENTLICH NUR ZUM SPASS GEZEICHNET UND INS NETZ GESTELLT. ALS ICH DIE NACHRICHT BEKAM, DASS DARAUS EIN ECHTER BAND WERDEN SOLLTE, MUSSTE ICH DIE MAIL SECHSMAL LESEN!

Im Ernst?!

BRINGEN WIR „BITCH BOYS" ALS MANGABAND RAUS!

UNGLAUBLICH ALSO, DASS DIESER BAND SO ZUSTANDE-KAM!

DA ES JA ZUM SPASS WAR, HATTE ICH VOLL NACH LUST UND LAUNE GEZEICHNET!

DAHER MUSSTE ICH BIS ZUM DRITTEN KAPITEL ALLES NEU ZEICHNEN, WAS ECHT HART WAR. ALLERDINGS WUSSTE ICH, DASS DIE NEUEN BILDER VERGLICHEN MIT DEN ALTEN WEITAUS BESSER WAREN, UND DARUM WAR ICH FROH DARÜBER.

DA ICH ANFANGS NUR AN EINE VERÖF-FENTLICHUNG IM NETZ GEDACHT HATTE, WAR DIE AUFLÖSUNG FÜR DEN DRUCK ZU GERING!

ZWEI JAHRE LANG ZEICHNETE ICH SO MIT PAUSEN VERGNÜGT VOR MICH HIN.

NUR SOLCHE CHARAKTERE SOLLTEN DARIN VORKOMMEN. UND SO BEGANN ICH EINFACH LANGSAM.

DIE STORY WAR EIGENTLICH ALS SCHLECHTE LOVE-COMEDY GEPLANT. ICH WAR VERSESSEN DARAUF, EINEN RICHTIGEN SCHLAMPEN-COMIC ZU ZEICHNEN.

ES DAUERTE ZWAR SEINE ZEIT, ABER GUT, DASS ICH ES GEMACHT HABE... DAS DENKE ICH MIR HEUTE OFT. ES TUT MIR LEID, DOCH BEI DEM TITEL FÄLLT ES WOHL SCHWER, SICH FÜR DEN BAND ZU ENTSCHEIDEN! ICH HOFFE, IHR HATTET TROTZ-DEM SPASS DAMIT!

DASS DIESER MANGA ALS GEDRUCKTES BUCH ERSCHEINEN DURFTE, IST FÜR MICH EINE GROSSE EHRE.

Die Erstkläss-ler wirken unschuldig.

Sie machen Past nur sol-che Gesichter.

VIELEN DANK, DASS IHR BIS ZUM SCHLUSS DRANGEBLIEBEN SEID! ICH WERDE FÜR EUCH MIT NEUEM SCHWUNG WEITERMACHEN!

SPECIAL THANKS: HANA-SAN MIT DEM NACHTSCHLÜSSEL UND SHOKO-TAN

SUTOPPU!

Koko wa kono manga no owari dayo.
Hantaigawa kara yomihajimete ne!
Dewa omatase shimashita!
Tanoshii hitotoki wo dozo!

Egmont-Manga-Chiimu

STOPP!

Das ist der Schluss des Mangas.
Fangt bitte am anderen Ende an!
Und nun genug der Vorrede,
viel Spaß beim Lesen!

Euer Egmont-Manga-Team

„Come to where the Bitch Boys are" von Ogeretsu Tanaka
Aus dem Japanischen von Monika Hammond
Originaltitel: „Yarichin Bitch-Bu" Vol. 1

Originalausgabe:
YARICHIN☆BITCH-BU
© OGERETSU TANAKA 2016
Originally published in Japan in 2016 by Gentosha Comics Inc.,Tokyo.
German translation rights arranged with Gentosha Comics Inc.,Tokyo through TOHAN
CORPORATION, Tokyo.

Deutschsprachige Ausgabe:
© 2018 Egmont Manga
verlegt durch Egmont Verlagsgesellschaften mbH,
Alte Jakobstraße 83, 10179 Berlin

8. Auflage 2020

Verantwortliche Redakteurin: Katharina Altreuther
Textbearbeitung: Etsche Hoffmann-Mahler & Ulrike Marotz
Printed in the EU

Gestaltung: Esther Strunck
Koordination: Manuela Rudolph
ISBN 978-3-7704-9588-7

Unsere Bücher findest du im Buch- und Fachhandel und auf
www.egmont-manga.de

www.egmont-shop.de

Die Egmont Verlagsgesellschaften gehören als Teil der Egmont-Gruppe zur
Egmont Foundation - einer gemeinnützigen Stiftung, deren Ziel es ist, die sozialen,
kulturellen und gesundheitlichen Lebensumstände von Kindern und Jugendlichen zu
verbessern. Weitere ausführliche Informationen zur Egmont Foundation unter
www.egmont.com